No por mucho masticar...

investigación patricia wriedt
ilustración héctor rojas valdivia

editorialserpentina
COLECCIÓN CORAZÓN CONTENTO

COLECCIÓN CORAZÓN CONTENTO

Asesoría científica: Agustín López Munguía-Canales

Editorial Serpentina agradece la colaboración de los nutriologos
Martha Kaufer, Ana Elguero y Rafael Riquelme.

Primera edición Editorial Serpentina 2006

D. R.© Editorial Serpentina, S. A. de C. V.
Santa Margarita 430, colonia Del Valle
03100 México, D. F.
Tel/Fax (5) 5559 8338 / 8267
www.serpentina.com.mx
www.editorialserpentina.com

ISBN: 968-5950-07-5

Impreso y hecho en México.

Diferentes y únicos

¡Ah, qué rico es comer! Y no sólo porque da una enorme alegría sentarse ante un rico plato de mole o una torta bien preparada. También porque al alimentarnos le damos a nuestro cuerpo todo lo que necesita para moverse, pensar y crecer. Sin embargo, no por mucho masticar... estamos bien alimentados.

En este libro vamos a hablar de la comida. No se trata de un recetario ni de una lista para el mercado, sino de una explicación sobre cómo funcionan los alimentos cuando entran a tu cuerpo, y de los beneficios que te dan. Escoger bien los alimentos, combinarlos y variarlos en forma adecuada, y consumirlos con moderación, te ayudará a estar sano. Además, te hará sentirte y verte mejor.

Mira a tu alrededor. Observa cómo el color del pelo, la piel o los ojos es diferente en cada persona. Fíjate en tus parientes: tal vez hayas heredado, además del sentido del humor o el tamaño de las cejas de tus padres o abuelos, la estructura o forma del cuerpo de alguno de ellos. Tu cuerpo puede funcionar de manera diferente al de otras personas debido a la herencia, el tipo de comida que consumes, la cantidad de ejercicio que haces, el clima del lugar en el que vives y, muy especialmente, al metabolismo, del que hablaremos más adelante. Además, tu complexión puede ser delgada, media o robusta, pero eso nada tiene que ver con estar flaco o gordo; simplemente es la estructura natural de tu cuerpo.

Cada persona posee su propia noción de bienestar porque cada una es diferente. Lo mismo sucede con el peso. Todos tenemos nuestro propio peso ideal, el cual es independiente de lo que digan los demás o de los modelos que salen en las revistas o en la tele. Nuestro peso ideal depende de nuestra herencia, nuestro estilo de vida y nuestra visión de nosotros mismos. A veces pensamos en la comida sólo en términos del control de peso, pero ésa no es una idea muy afor-

tunada. Lo importante es comer para sentirse bien y para que el organismo funcione de la mejor manera. ¿Y cómo comer para sentirse bien y que el organismo funcione de la mejor manera? Ahora lo verás.

¿Pasta, sushi o enchiladas?

Lo que come una persona o un grupo de personas durante el día se denomina dieta. Es un error pensar que estar a dieta es comer poco para bajar de peso, o que las únicas dietas que existen son las que requieren comer sólo pepinos y olvidarse para siempre del pan y de las pastas porque supuestamente engordan. En realidad, todos tenemos una dieta porque todos llevamos cierto tipo de alimentación. Por ejemplo, algunos comemos mucho pescado, a otros nos gustan los mangos más que las guayabas, otros más comen muchas verdolagas y menos espinacas, en fin... La suma de alimentos que consumimos en un día forma nuestra dieta.

Nuestra dieta depende del lugar donde vivimos y de nuestras costumbres familiares. También tiene mucho que ver con la historia y la cultura de cada país. Por ejemplo, en Argentina se come mucha carne porque existen enormes pastizales donde las vacas pueden alimentarse. En la India, por el contrario, no se come carne de vaca porque la religión lo prohíbe. También por razones religiosas los musulmanes no toman alcohol, y los judíos no consumen carne de cerdo ni combinan leche con carne. Los chinos se alimentan de casi todo, incluidas ratas e insectos. Los japoneses, que están rodeados de mar, comen mucho pescado y algas.

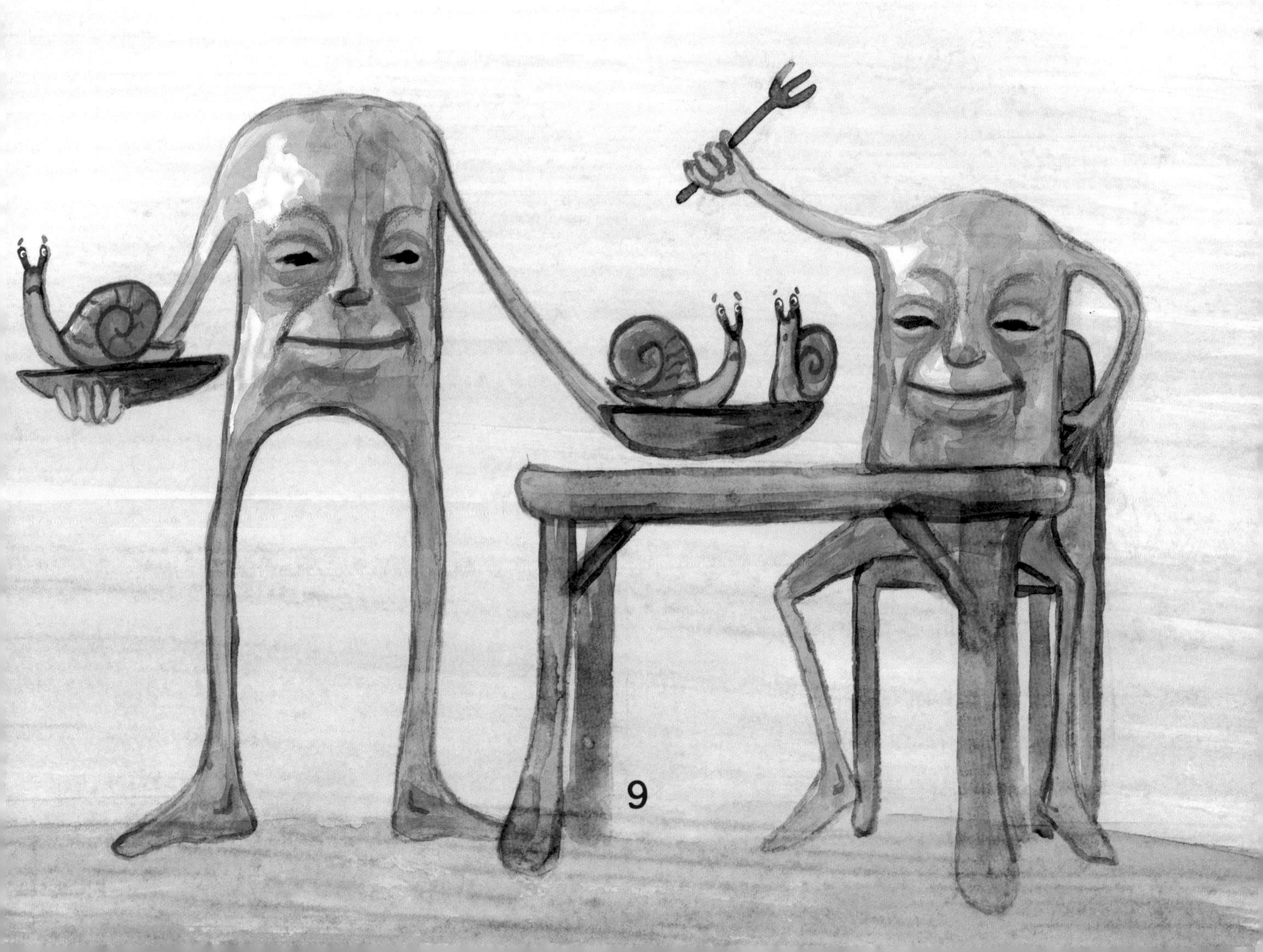

En México la base tradicional de la alimentación es el maíz, cuyo fruto es el elote. Al molerse y mezclarse con cal se prepara el nixtamal para las tortillas, los sopes y los tamales. Pero los elotes también se comen enteros o desgranados en esquites y pozole.

Otros alimentos tradicionales de nuestro país son los frijoles y los chiles, las calabazas, los nopales, los jitomates y los tomates. También los chapulines, los gusanos de maguey, los escamoles y otros insectos, además de frutas como las tunas, los tejocotes y una gran variedad de zapotes.

Con todos estos alimentos se elaboran muchos platillos, que cambian según la región. Por ejemplo, en el Sureste preparan cochinita pibil, y en el norte cabrito asado. A lo largo de casi todo el país se cocina una gran variedad de moles diferentes. En el norte las tortillas son de harina de trigo, y en el centro y el sur de maíz. En algunos lugares los tamales se envuelven en hoja de plátano, y en otros en hojas de maíz.

A las variaciones regionales se añaden las diferencias familiares. Si alguna vez has comido sopa de fideos o enchiladas en casa de un amigo te habrás dado cuenta de que saben distinto a las que preparan en tu casa. Y es que cada familia tiene su sazón y añade condimentos o toquecitos propios.

Lléneme el tanque

Estamos vivos gracias a la comida. Nuestro cuerpo requiere energía para llevar a cabo funciones como la respiración y la digestión; la requiere también para estudiar, pensar, trabajar la tierra, hacer deporte o simplemente caminar por ahí. Toda esa energía la obtenemos de los alimentos, que son para nosotros lo que la gasolina es para los automóviles.

La cantidad de energía que necesita cada persona depende de su edad, sexo, estatura, complexión y metabolismo, así como de la actividad física que realiza. El metabolismo es la capacidad del cuerpo para aprovechar los alimentos y convertirlos en energía y en las sustancias que requiere para funcionar.

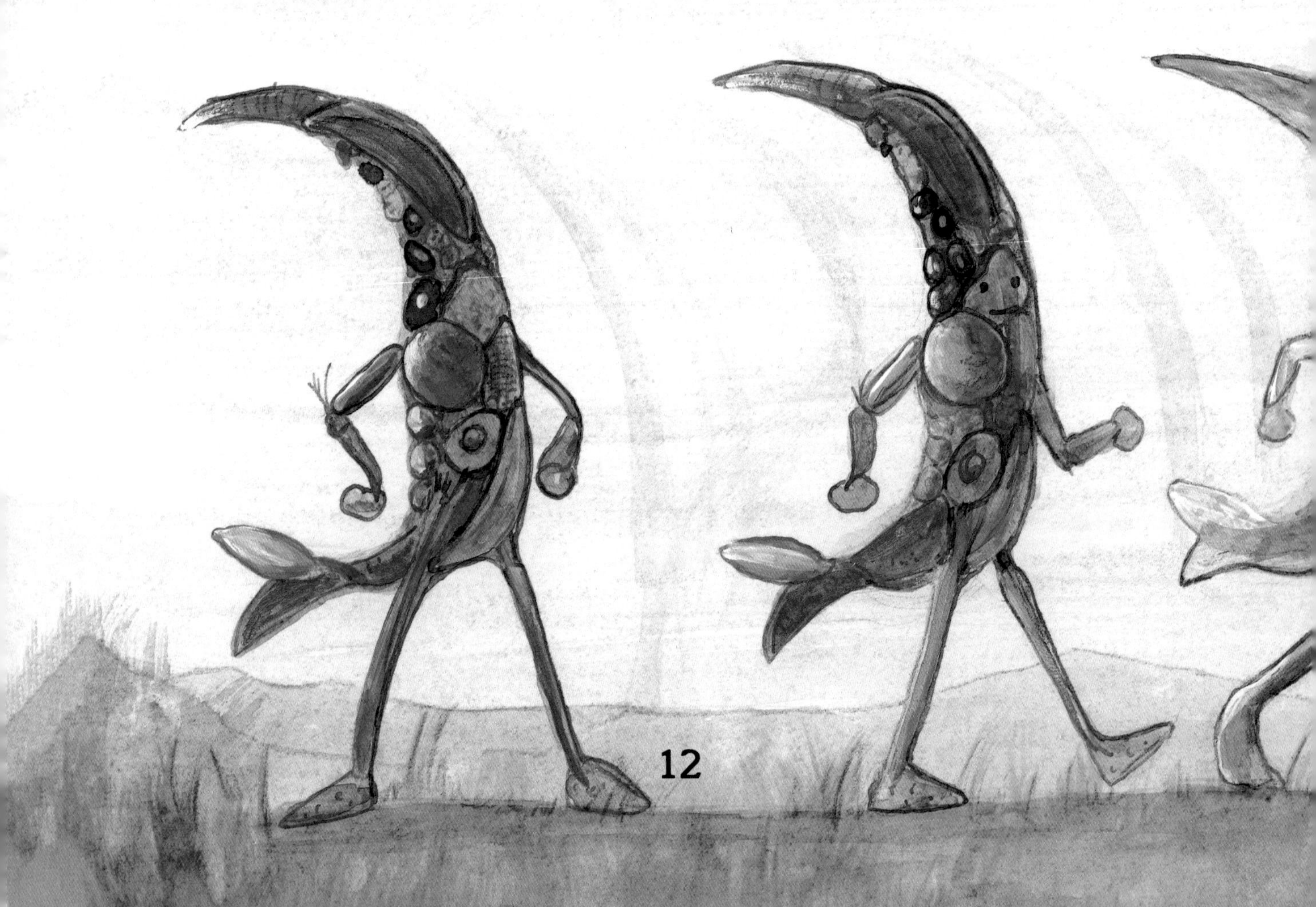

Los alimentos se clasifican por su origen: animal o vegetal. Los de origen animal son la carne de res, el pollo, el cerdo, el pescado, los insectos, el huevo, la leche y sus derivados. Los de origen vegetal provienen de la tierra, como las frutas, las verduras, las semillas y los cereales. Los alimentos están formados básicamente de hidratos de carbono, proteínas, grasas, vitaminas, minerales y agua.

El conjunto de todo eso constituye una buena alimentación. Ahora bien, ¿cómo saber que estamos consumiendo todo eso?, ¿cómo saber combinar y variar los alimentos de manera sana? Muy fácil: conociéndolos un poco y sabiendo qué hacen dentro de nuestro cuerpo.

Energía inmediata

Ya hablamos de lo importante que es la energía para el organismo. Los hidratos de carbono son las sustancias más energéticas, y por eso una dieta sana los incluye en buena cantidad. Los hidratos de carbono son cadenas de compuestos, que pueden ser cortas o largas. Una vez en el estómago, las cadenas de hidratos de carbono se rompen en pedacitos y liberan azúcar, una sustancia que proporciona mucha energía y ayuda a que el cerebro, el hígado, el corazón y otros músculos funcionen bien.

Algunos alimentos de origen animal, como la leche y sus derivados, contienen hidratos de carbono, pero la fuente más importante de éstos son los alimentos de origen vegetal: los cereales, como el maíz, el trigo, la cebada y el arroz; todas las frutas y algunas verduras.

Con los cereales puede hacerse harina, y con ésta alimentos como las tortillas, el atole, el pan, las galletas y las pastas. Mientras más blanca sea la harina más propiedades y elementos habrá perdido, sobre todo fibra, así que es mejor comer alimentos elaborados con harinas integrales, es decir, no blancas.

El exceso de azúcar, miel y dulces no es bueno para la salud. Por eso es más conveniente obtener los hidratos de carbono directamente de los cereales.

La fibra también es un hidrato de carbono, pero como el cuerpo no puede romper sus cadenas la desecha casi íntegra. Lo bueno de la fibra es que a su paso limpia el intestino y favorece la digestión. La cáscara de frutas y cereales contiene altas dosis de fibra.

Construyéndonos por dentro

Las proteínas también están formadas por cadenas. El cuerpo rompe y aprovecha las proteínas que se encuentran en los alimentos que ingerimos. Las convierte así en parte de los órganos internos, de la sangre y de algunas sustancias del cabello, las uñas y la piel. También las convierte en hormonas, que se encargan de llevar mensajes por todo el organismo.

Las proteínas nos permiten crecer y regenerar constantemente los tejidos, entre ellos los músculos y los tendones, que se van desgastando naturalmente con el uso.

Al igual que los hidratos de carbono, las proteínas pueden ser de origen animal o vegetal. Las de origen animal se encuentran en la carne roja, el pollo, el pescado, la leche y todos sus derivados, como el yogurt y el queso. Las proteínas de origen vegetal están básicamente en las leguminosas, que son los frijoles, las lentejas, las habas, los garbanzos y las alubias. Los cereales como el maíz y el trigo también tienen proteínas.

Una capita protectora

¡Ah, qué miedo dan las grasas! Es porque mucha gente no sabe que en pequeñas cantidades son esenciales para el organismo. Las grasas también son cadenas que podemos usar de inmediato o almacenar para cuando nos hacen falta. Al romperse liberan una sustancia que produce muchísima energía. Una mínima reserva de grasa es útil cuando caemos enfermos o nos sometemos a un esfuerzo especialmente grande.

Además, nos ayudan a conservar la temperatura corporal, a proteger algunos órganos contra golpes y caídas, y a que el sistema nervioso cumpla bien sus funciones. Las grasas le dan buen sabor a los alimentos y hacen que después de comer nos sintamos saciados.

Las grasas pueden ser de origen animal o vegetal. Las de origen animal están en la mantequilla, la crema, la manteca de cerdo, el tocino y algunos quesos. Las de origen vegetal se encuentran en diferentes alimentos, como en las aceitunas, el aceite comestible, los cacahuates, las nueces, los pistaches, las almendras y los aguacates. Es recomendable comer grasas de origen vegetal en lugar de grasas animales, pues éstas tienden a acumularse en las arterias y pueden llegar a bloquearlas.

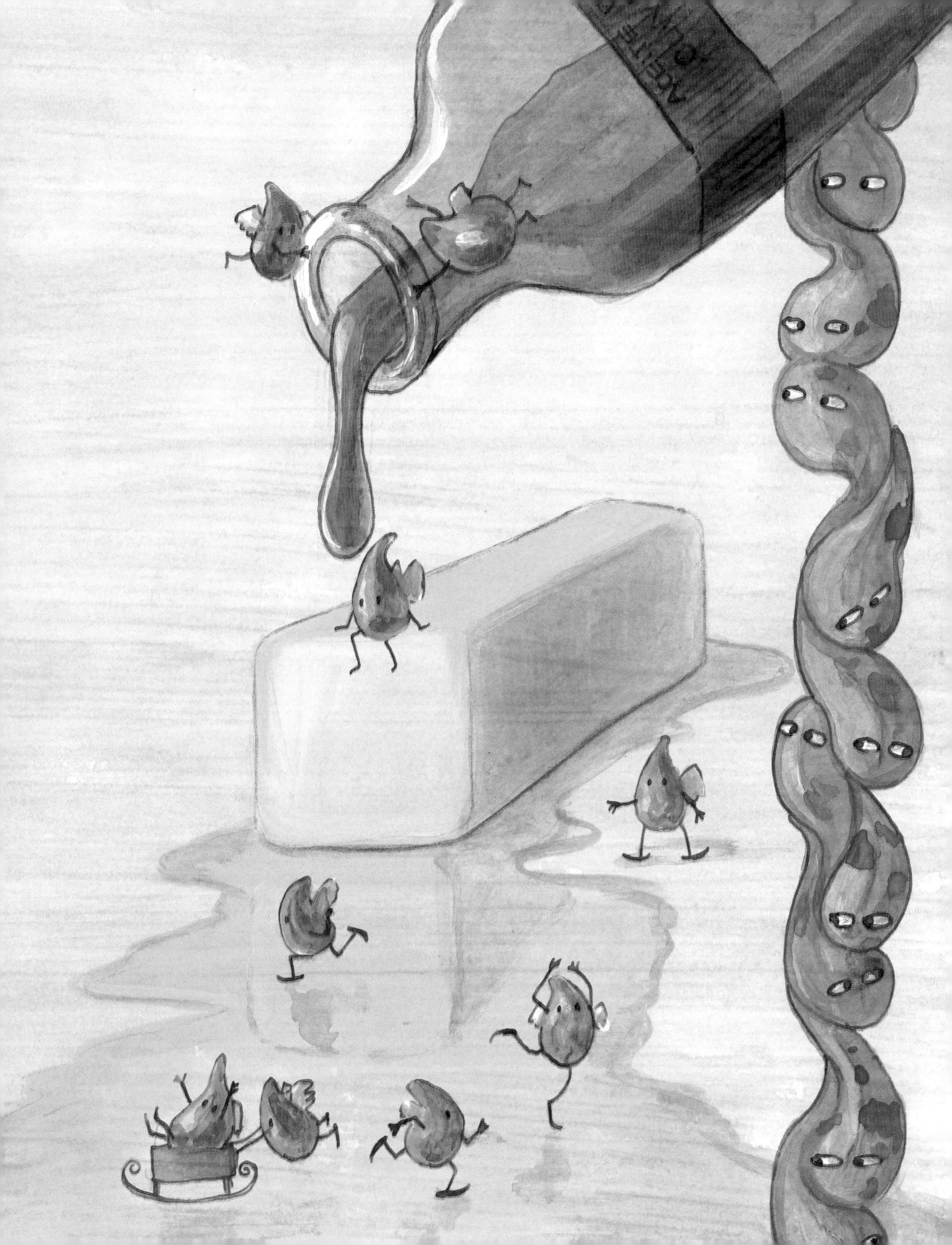
ACEITE

El abecedario del cuerpo

Las vitaminas no son cadenas, así que el cuerpo no necesita romperlas y las usa casi tal como las recibe. Hay varios tipos de vitaminas y cada uno se identifica con una letra: A, B, C, D, E y K. Tienen muchas y muy importantes tareas dentro del cuerpo. Fortalecen el sentido de la vista, mantienen los huesos en buena condición, previenen enfermedades, contribuyen a que la sangre coagule cuando hay heridas y a llevar a todo el organismo el oxígeno que respiramos. También ayudan a romper las cadenas de proteínas, hidratos de carbono y grasas para que nuestro cuerpo las aproveche.

Muchos alimentos contienen vitaminas, aunque la mejor fuente de ellas son las verduras y las frutas. Es muy conveniente que sean frescas, ya que si se cuecen o se procesan pierden buena parte de sus propiedades.

Los milusos

Hay montones y montones de minerales diferentes. La mayor parte se consume en cantidades muy pequeñas, pero son de una inmensa importancia. Los minerales más comunes en nuestra alimentación son el hierro, que contribuye a transportar el oxígeno en la sangre; el calcio, que ayuda al crecimiento y fortalecimiento de los huesos y los dientes; y el sodio y el potasio, que mantienen en equilibrio todos los líquidos del cuerpo.

Los minerales están prácticamente en todos los alimentos, así que lo único que hace falta es comer un poco de todo para consumirlos en buena cantidad.

Ahora bien, algo que mucha gente desconoce y es importante que tú sepas es que los minerales también se encuentran en el agua natural. Otra buena razón para tomarla. Por eso no hay que beber nunca agua destilada, que no contiene minerales; puede ser buena para la plancha, pero no para tu cuerpo.

Agua adentro

El agua es la fuente de la vida y, por lo tanto, es fundamental para la salud. Todos los alimentos contienen agua –algunas frutas y verduras hasta en un 90 por ciento–, pero aún así hay que tomar agua sola, suficiente agua sola durante todo el día. El agua limpia nuestro cuerpo, hidrata nuestra piel y mantiene en buenas condiciones los riñones. También facilita la digestión, transporta los alimentos por todo el organismo y regula la temperatura a través del sudor.

De chochos, jarabes y potingues

Seguro has notado que existen muchas vitaminas y minerales en forma de pastillas o jarabes que se pueden comprar casi en cualquier parte. No es buena idea tomarlos a menos que te los recete un médico. Además, si tomas un exceso de vitaminas, éstas pueden acumularse y causar reacciones negativas. En general una dieta equilibrada proporciona todo lo que el organismo necesita.

También habrás visto en la televisión y en las revistas anuncios de productos para bajar de peso, ponerse fuerte o tener más energía. Ten cuidado, porque además de que no sirven, pueden ser peligrosos para la salud. Lo mismo sucede con los productos que sustituyen a las comidas. No hay nada como una buena alimentación y un poco de actividad física diaria. Si comes bien, te sentirás, te verás y estarás bien. Aprende a conocer tu cuerpo: si algún alimento no te cae bien, simplemente evítalo.

Ponerse en marcha

Ahora ya conoces mejor los alimentos y sabes para qué sirven. Pero el combustible por sí solo no es suficiente: hay que ponerse en movimiento para mantenerse en forma. Estar activo favorece la digestión y la circulación, fortalece los músculos, levanta el ánimo, combate enfermedades y ayuda a dormir mejor. Correr, nadar, jugar futbol o básquetbol son deportes ideales, pero no es necesario ser un deportista para ejercitarse. Al caminar, subir escaleras, estirarte, bailar o brincar la cuerda también haces ejercicio. Si no quieres caminar ni a la esquina estás permitiendo que tu cuerpo se oxide. Ponte en movimiento y acéitalo.

Hay enfermedades que están asociadas con una alimentación equivocada. Las más frecuentes son la obesidad, la diabetes y la desnutrición.

La obesidad, o acumulación excesiva de grasa, se produce sobre todo cuando se come sin moderación y el cuerpo recibe mucha más energía de la que gasta. A la larga, la obesidad tiene consecuencias serias para la circulación, la presión arterial, el corazón y los huesos. Por eso hay que prevenirla mediante una alimentación balanceada y un rato diario de actividad física.

Por su parte, la diabetes consiste en la incapacidad del cuerpo para asimilar el azúcar de los alimentos y utilizar las proteínas. Esta enfermedad es hereditaria y suele manifestarse cuando hay exceso de peso. Si no se atiende oportunamente afecta la circulación, la vista y los riñones. México tiene un alto índice de diabetes. La mejor medida de prevención es mantenerse delgado y hacer ejercicio todos los días. Los diabéticos deben visitar al médico con regularidad y seguir la dieta que él les indique.

Aunque la desnutrición es cada vez menos frecuente en México, conviene recordar en qué consiste. Se trata de un estado que se presenta cuando no se consumen todos los alimentos necesarios en las cantidades suficientes. Así pues, la falta de minerales, vitaminas o proteínas produce diferentes formas de desnutrición. Los niños desnutridos pueden tener problemas para desarrollarse física y mentalmente.

La estrategia final

Ahora que conoces mejor los alimentos y sabes cómo funcionan en tu cuerpo, hay que aprender a comer sabiamente. Ésta es la estrategia a seguir:

- Consumir todos los días estos tres grupos de alimentos: 1) verduras y frutas, 2) cereales y sus derivados, 3) leguminosas y alimentos de origen animal. Los tres grupos tienen la misma importancia y ninguno puede faltar en tu dieta.
- Combinar en cada comida los tres grupos de alimentos. Por ejemplo: una manzana (1) y un taco de frijoles (2 y 3); o nopalitos (1), galletas saladas (2) y pollo (3); o bien papaya (1) y un plato de hojuelas de maíz con leche (2 y 3). Las posibilidades son muchísimas.
- Variar los alimentos de cada grupo para que no siempre sean los mismos. En los cereales, por ejemplo, en lugar de comer siempre avena, puedes comer en la mañana avena, al medio día tortilla y en la noche galletas. En el caso de las verduras y frutas, en la mañana papaya, al medio día calabazas y en la noche uvas. Si se trata del tercer grupo, puedes tomar un vaso de leche por la mañana, lentejas al medio día y salchicha por la noche.
- Comer de todo moderadamente, es decir, sin excesos.

Si además de combinar, variar y moderar tu alimentación, haces ejercicio todos los días y tomas agua sola, vas a verte y sentirte muy bien.

No hace falta que sufras privándote de ciertos alimentos. Tampoco que te atiborres de ninguno de ellos. Disfruta la comida. Disfruta también tu cuerpo. Cuando comes y cuando haces ejercicio, cuando sientes apetito y cuando estás satisfecho. Pero recuerda siempre que no por mucho masticar... estás bien alimentado.

Glosario

Hidratos de carbono: Cadenas de compuestos que dan mucha energía inmediata al romperse dentro del cuerpo.

Complexión: El tipo de cuerpo de una persona. Se habla de tres tipos de complexiones: la robusta, la media y la delgada.

Dieta: Conjunto de alimentos y platillos que consume diariamente una persona, una familia, un país o una cultura.

Energético: Se dice de las personas o los alimentos que tienen energía.

Energía: Capacidad o poder parar realizar una tarea y producir un resultado. Hay muchos tipos de energía. La energía de los alimentos es la capacidad de éstos para hacer que el organismo cumpla bien sus funciones.

Grasas: Cadenas de compuestos que contienen gran cantidad de energía y pueden almacenarse dentro del cuerpo para usarlas cuando sea necesario.

Herencia: Conjunto de rasgos que los padres transmiten a los hijos mediante la información biológica.

Ingerir: Comer.

Metabolismo: Procesos del organismo para aprovechar la energía de los alimentos, con objeto de realizar sus funciones.

Nixtamal: Masa que se elabora mezclando el maíz con cal y agua para poderlo moler mejor y hacer más fácil su digestión.

Obesidad: Enfermedad que consiste en la excesiva acumulación de grasa. Tiene muchas causas, pero una de ellas es que el organismo recibe mucha más energía de la que necesita.

Potingue: Cualquier crema o bebida de aspecto o sabor desagradable.

Proteínas: Cadenas de compuestos que cumplen muchas funciones dentro del cuerpo, como construir los músculos, la piel y las uñas.

Saciado: Satisfecho, sin hambre.

Sazón: Sabor especial que se da a la comida mediante el uso de ciertos ingredientes o la manera de prepararla.

No por mucho masticar...
se terminó de imprimir en abril de 2006
en los talleres de Editorial Impresora Apolo, S.A. de C.V.,
con domicilio en Centeno 162, colonia Granjas Esmeralda,
en la Ciudad de México.